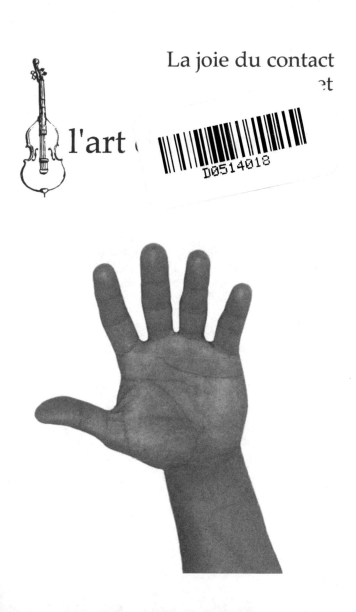

La joie du contact

et

l'art

AMAR

Atelier de Massage
Antonio Ramirez

Dialogue avec l'ange du toucher

Petit livre d'initiation au massage de relaxation musico-sensoriel
(MRMS)

Editions Amar

Ce livre est dédié à Jean-Daniel DesGali, mon grand ami. Il est également dédié à tous les gens qui souffrent, et à ceux qui ont le privilège de les soulager par le toucher. Photographes : Réjean Lebeau et Hector Hernandez. Modèles : Christopher di Omen, Carlos Rauda, Joël da Silva, Milena Martinez. Montage photos : François Escalmel.

© Copyright Ottawa 2006 par Amar éditeur.
5101, rue St-Denis, C.P. 60136, Montréal, Québec, Canada H2J 4E1

ISBN 2-9809415-0-6   978-2-9809415-0-4
Dépôt légal : Bibliothèque nationale du Canada
                     Bibliothèque et Archives nationales
                     du Québec
                     2006
Imprimé au Canada

Note de l'auteur

Le livre que vous tenez entre les mains contient mon énergie. Cette énergie, déployée à travers le massage, vous est ainsi transmise, et sa durée est garantie si vous l'utilisez pour le bien d'autrui.

Le coût de ce livre est de 14,95 $ l'exemplaire. Si vous croyez qu'il en vaut la peine et voulez participer à son financement, vous pouvez faire parvenir ce montant (14,95 $ + taxe = 15,99 $) à Antonio Ramirez, aux endroits suivants :

- Banque Toronto Dominion, 47201, compte no. 00406217136 à Montréal.

- Banque Nationale 01141, compte no. 10-407-00 à Montréal.

Par la poste : 5101, rue St-Denis, C.P. 60136 Montréal, Québec H2J 4E1.

J'ai confiance et vous remercie d'avance.

Ce mode de paiement ne s'applique pas pour les exemplaires distribués en librairie.

Par ailleurs, que ce soit pour obtenir plus d'information, ou pour me faire part de vos commentaires, voici mon adresse électronique : info@antonioramirezrelax.com

V
O
I
C
I

Mon énergie | Mon empreinte

Remerciements

À Gaston Veronneau, mon professeur de techniques énergétiques, qui a cru en moi et a eu à cœur de m'enseigner les principes de ces techniques. À André, professeur de massage de la polyvalente Pierre-Dupuy. Aux correcteurs, Serge, Gaston, Juan Carlos, Joël, Michel, Luc, Michael, Roch. Aux correctrices : Lieve, Lidia, Suzanne, Marie-Josée, Hélène, Lise, Sylvia. Aux personnes qui ont servi de modèles volontaires pour les photos : Christopher, Carlos, Joël et Milena. À Cindy Diez pour sa collaboration à l'ordinateur. Aux photographes et aux infographes. Un remerciement spécial à mon ami Joël da Silva pour son aide et sa patience et à toutes les personnes qui ont contribué à ce livre par leur aide et leur soutien.

Avant-propos

Ce livre est une synthèse de mon expérience et de mes observations de la pratique du massage avec mes amis et mes clients. Il est enrichi de tout ce que j'ai lu dans ma vie au sujet du massage, de la musique, du comportement humain, et de l'écoute de la voix intérieure qui me guide. Plusieurs des idées qu'il véhicule viennent de moi ; elles ne prétendent à aucune vérité absolue, et je ne tiens pas à en faire un dogme.

Quand je touche un être humain, je me sens en contact avec le divin, avec l'énergie créatrice.

Ce livre est destiné aux personnes désireuses de s'initier à l'art du toucher bienfaisant. Aux personnes à qui le contact physique manque, ce toucher bienfaisant augmente la capacité de réceptivité et les prépare à recevoir l'énergie. Plus qu'un manuel de techniques, ce livre veut proposer une nouvelle vision du massage.

Je ne veux former ni des professionnels, ni des techniciens. Je souhaite que, chaque fois que vous aurez la chance de toucher quelqu'un, vous puissiez le faire de façon agréable.

Par cette approche, je veux vous donner l'occasion de redécouvrir et d'accepter votre corps tel qu'il est ; je souhaite faire grandir l'estime de vous-même à travers le toucher et la musique. J'aimerais que vous apprivoisiez votre corps comme quelque chose de sublime, de beau et de présent, et non seulement comme un outil de performance pour fonctionner et produire. Je vise aussi à démystifier le toucher et vous apprendre à masser les autres. En faisant connaître ce massage, je voudrais éveiller la sensibilité de vos mains afin qu'elles soient en communion avec l'esprit de la musique.

Si vous conservez ce livre, gardez-le comme un trésor et mettez-le en pratique avec les gens qui vous entourent, pour que tous les jours cette énergie se renouvelle et puisse à tous moments apporter les bienfaits d'une relaxation profonde pour le bien de l'humanité.

Antonio Ramirez

Note : afin d'alléger la lecture, nous résumerons parfois « massage de relaxation musico-sensoriel » par MRMS, « massage musico-sensoriel » par MMS.

Introduction

Depuis des générations, l'être humain a utilisé la voie du toucher, canalisé par le massage, dans le but de détendre le corps humain et le soulager de certains maux dus au stress accumulé. Le stress n'est pas la seule raison pour recevoir un massage ; la fatigue peut, elle aussi, être soulagée. Et tout le monde éprouve de la fatigue à un moment ou un autre de sa vie.

Notre société survalorise l'indépendance et l'autosuffisance. Cet « idéal », plus facilement envisageable quand nous sommes en santé, jeunes et beaux, n'a plus aucun sens, selon moi, lorsque nous devenons malades. Nul besoin de recourir aux ouvrages théoriques pour montrer à quel point le contact physique peut aider à soulager l'être humain. Il suffit de s'observer soi-même. J'en parle en connaissance de cause : souvent, en me trouvant stressé, une simple caresse, un simple contact a eu sur moi des effets bénéfiques profonds.

Le toucher est, à la fois, la façon la plus facile et la plus difficile de communiquer avec l'autre ou de soulager sa souffrance : facile, parce que le toucher est un réflexe qui vient naturellement (par réflexe naturel, quand nous nous frappons, nous nous touchons spontanément pour calmer la douleur) ; difficile, parce que, pour toucher l'autre, il faut surmonter les barrières imposées par les mœurs sociales.

Chaque culture a sa propre perception du toucher ; les mœurs relatives au toucher varient d'un peuple à l'autre. Dans le monde occidental, le toucher a été souvent négligé, même ostracisé, mais on constate aujourd'hui qu'on peut apaiser la fatigue et soulager les symptômes de la maladie causée par le stress simplement par le toucher, par la voie du massage. *Un massage d'amour, au sens fraternel du mot,* dans le but de relaxer.

Il est aussi bénéfique de pratiquer le massage que de le recevoir. En plus de la satisfaction d'aider les autres, traiter quelqu'un par le massage donne une satisfaction intérieure profonde. Ce contact peut aider grandement à l'équilibre émotionnel du masseur et de la personne massée. N'oublions pas que le massage est une communication, un échange entre deux êtres humains.

En tant qu'êtres humains, nous devrions apprendre à nous détendre. Lorsque nous sommes calmes, en paix, nous sommes mieux disposés à affronter les hauts et les bas de l'existence. Quoi qu'il arrive, il importe de savoir comment relâcher ses tensions. Il est cependant difficile de relaxer lorsque la maladie et la dépression sont présentes. Nous devrions voir la maladie comme un moment privilégié de réflexion pour tenter de comprendre la cause de notre état de santé. Il nous faut apprendre à orienter notre esprit vers des pensées d'acceptation, pour mieux comprendre ces situations de souffrance et parvenir à libérer ces tensions. *La maladie n'est pas un échec, elle est une occasion d'apprentissage.* Est-ce que la tension est une maladie ? La tension sans attention provoque la maladie. Le dictionnaire Larousse définit le mot thérapie comme le traitement d'une maladie. Pour moi, *tout massage est une thérapie en soi.*

Qu'est-ce qu'un massage musico-sensoriel ?

Le MMS est un massage de relaxation préventif, physique et énergétique, global ou spécifique, qui aide à soulager le stress et les tensions causés par la fatigue accumulée. *Global* désigne tout le corps ; *spécifique* désigne exclusivement la partie du corps (octave), choisie pour être traitée. Le MMS vise à réveiller le sens du toucher et à relaxer le corps entier. Il favorise une rencontre avec soi-même par laquelle la personne massée apprécie ce qu'elle est. C'est un mélange de rythmes et de mouvements inspirés du moment et des circonstances.

Ce massage est basé sur plusieurs techniques déjà existantes. Dans le MMS, on utilise trois techniques de base : le suédois, la réflexologie et les techniques énergétiques. À cette base, sont combinés certains mouvements du massage californien, du Trager et du shiatsu.

Le suédois allie fermeté et douceur ; la réflexologie base son action sur les pieds ; le californien est doux et enveloppant ; le Trager agit par petites secousses, balancements et vibrations ; le shiatsu, guidé par les méridiens, agit par pressions ; les techniques énergétiques travaillent avec l'énergie vitale. De toutes ces techniques, j'ai adopté les mouvements les plus importants, selon moi, en les traduisant en gestes simples, indolores, bien dirigés, et adaptables à chaque personne.

Ce massage est facile, harmonieux et sans risque, si l'on respecte certaines conditions. Il varie selon la personne massée, la musique utilisée et le moment où il est donné. Ferme, enveloppant, conçu avec la seule intention de faire du bien, de détendre les muscles, d'apaiser l'esprit, d'amener à un abandon total, le MMS permet de se confronter à la réalité de soi-même, seule réalité à explorer pour arriver à une acceptation totale de tout ce que l'on est. C'est un massage très libérateur, *une sorte de culte à l'être humain.*

Présentation

Ce livre se divise en six chapitres et se déroule à la façon d'un conte de fée où évoluent trois personnages : l'ange, Moi et Autre.

L'*ange*, d'origine inconnue, et peu importe d'où il vient, a le pouvoir de transmettre l'énergie et peut aider au processus de nettoyage et de détente du corps humain. Il possède un grand livre dans lequel sa précieuse connaissance est inscrite en lettres de lumière.

Moi est un personnage comme vous et moi. Il pleure dans son coin, stressé, fatigué, découragé, dans un moment où il ne trouve pas d'issue à sa situation. Tout malade : mal au dos, mal au cou, mal partout. Les problèmes qui l'entourent et le tourmentent en sont la cause. La seule chose qui lui reste, c'est un peu d'espoir. L'ange lui livrera son message.

Autre devient l'élève de Moi. Il va recevoir à son tour le message que Moi a reçu de l'ange.

Note : Pour l'auteur, l'ange représente la connaissance, l'intuition, le savoir, la sagesse, l'intelligence, la pureté, la compassion et l'amour.

[Chapitre 1]

Moi rencontre l'ange du toucher

Moi, plein de tristesse, est seul dans son coin. Soudain, un ange s'approche et lui demande :

- Pourquoi pleurez-vous ?

- Moi ?

- Oui, vous.-

- Qui êtes-vous ?

- N'ayez pas peur, je suis un ange. Ne vous inquiétez pas.

- Quoi ! Un ange ! Et quel est votre nom?

- Je suis l'ange du toucher. Mon nom est Ange, simplement. On peut se tutoyer, si vous voulez.

- Oui, si tu veux. Mais… si tu es un ange, ça veut dire que tu viens de Dieu ?

- Peu importe. L'important est de savoir si je peux faire quelque chose pour toi. Alors pourquoi pleures-tu ?

- Je me sens si fatigué, j'ai mal partout, je suis malade, au bord de perdre espoir. J'ai tant de problèmes…

- Ce n'est pas nécessaire de te sentir comme ça, tu vas empirer la situation. L'espoir est la dernière chose à perdre. Il vaut mieux se calmer pour maîtriser la situation. C'est le stress qui te trouble.

- Le stress ? Et qu'est-ce que le stress ?

Ange, ouvre alors son grand livre aux pages lumineuses :

Le stress est un changement biologique, une alerte provoquée par une situation où l'on doit agir rapidement. Il y a des gens plus prédisposés que d'autres au stress. En situation d'urgence, le corps se prépare à se défendre en secrétant des substances spécifiques, comme l'adrénaline, qui l'aident à surmonter l'obstacle.

C'est alors que se présente le stress. Le corps se met en état d'alerte. Ce stress s'appelle « stress positif ». Le stress n'est donc pas une maladie en soi, il peut être un allié. Une fois la crise passée, il faut relâcher et laisser tomber la tension causée par ce stress. Un stress négatif se présente lorsque nous vivons des situations difficiles qui nous poursuivent sans cesse et subsistent en nous trop longtemps. Le stress devient alors nocif. Quand le corps est en état de choc, il se retient, il se contracte. Cette contraction aide à se protéger du danger. Si cette contraction persiste, elle provoque une tension musculaire.

- Je comprends, *dit Moi.* Et comment peux-tu m'aider ?

- Je vais te toucher, te masser, et tu vas voir que le contact physique te fera beaucoup de bien. Je vais me centrer afin d'entrer dans le champ du pouvoir que procure l'énergie, pour qu'elle circule mieux, et que nous soyons protégés, toi et moi, de nos vibrations respectives. Voir page 79. Mais, avant tout, on va préparer l'endroit pour qu'il invite à la détente. Le lieu où le massage est donné compte beaucoup pour sa réussite. Voir page 46.

D'un claquement de doigts, Ange fait apparaître une table de massage. Il la dispose harmonieusement dans l'espace, de façon à pouvoir travailler tout autour. Puis il invite Moi à s'y allonger et s'y installer confortablement. Mais Moi hésite :

- Est-ce que je dois être habillé ou déshabillé ?

- Dans le massage que je vais te montrer, c'est le sujet massé qui décide s'il veut être couvert d'un drap ou pas, et s'il garde ou non ses sous-vêtements. C'est au masseur de s'adapter aux circonstances. Le masseur doit être préparé à la nudité, sans quoi elle peut provoquer un malaise chez lui. De même, la personne massée choisira, selon son goût, un massage fort ou doux, global ou spécifique.

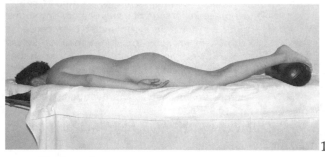

1

- Et alors ?

- Avant de commencer ce massage, tu dois toujours enquêter sur l'état de santé de la personne que tu vas masser afin de savoir si elle a des maladies auxquelles tu dois faire attention ou, encore, si elle a eu des accidents. Demande-lui aussi, s'il y a des parties du corps où elle préfère ne pas se faire toucher

- Présentement je suis bien, à part le stress et la fatigue, et j'aime me faire toucher. Pourquoi doit on s'informer sur la santé de la personne ? Est-ce qu'un massage peut faire mal au corps ?

- Oui, si le massage est mal fait. Ce massage comporte certaines restrictions.

Et à nouveau Ange ouvre son grand livre de lumière au chapitre des contre-indications :

Certaines personnes, en raison de leur état de santé, demandent une attention spéciale pour pouvoir recevoir ce massage. Masser une personne saine et masser une personne malade sont deux choses bien différentes.

Il faut s'abstenir de masser une personne qui présente une fièvre élevée ou des problèmes cardiaques. Il faut éviter les endroits du corps où il y a une inflammation aiguë, une infection contagieuse de la peau, un problème de circulation, comme la phlébite ou des varices très prononcées, ainsi qu'aux endroits où il y a des prothèses.

En général, il suffit de se servir de son « gros bon sens », de tenir compte des informations données par le sujet massé avant le massage et d'agir avec prudence sur les régions du corps qui semblent douloureuses ou affectées.

De son côté, le donneur doit surveiller sa posture. Un bon positionnement du corps, au cours d'un massage, peut éviter au masseur des blessures à la colonne vertébrale et sur l'ensemble des systèmes musculaire et osseux. Pour chaque mouvement, il faut trouver la position qui convient le mieux.

- Sais-tu un peu de quoi est constitué ton corps ? *demande Ange.*

- Un peu, *répond Moi,* mais ici, sur terre, c'est la médecine qui se charge de tout ça.

- Voilà le problème ! C'est plus facile de laisser les autres résoudre tes problèmes que de t'en charger toi-même. Ensemble, avec responsabilité et conscience, vous pouvez faire mieux.

- Ensemble, c'est qui ?

- Ensemble, c'est toi, moi, lui, elle, nous, vous.

- C'est vrai !

- Une fois allongé sur la table, tu vas oublier tes problèmes.

- Oublier mes problèmes ?

- Oui, oublier tes problèmes, te mettre en état de réceptivité totale. Ensuite, tu dois devenir conscient de toi.

- Conscient de moi ? Et comment ?

- Malheureusement l'être humain n'est conscient de lui que lorsqu'il est malade, lorsqu'il souffre !

- Mais…

- Tu n'imagines pas la grandeur de l'être humain et ce qu'il vient faire sur la terre, qui n'est rien d'autre *qu'un atelier d'apprentissage*. Chacun de vous a un rôle important à jouer, chacun possède la faculté d'adaptation. Au commencement, votre corps est un corps très fragile qui a besoin de protection, d'affection, d'attention, et j'en passe. Je pense que vous n'êtes pas conscients de la constitution de votre corps et vous ne réalisez l'importance de vos organes qu'au moment où ils commencent à avoir des problèmes. Vous n'êtes pas conscients du pouvoir intérieur que vous possédez.

- J'ai déjà entendu parler de tout ça, mais ici sur terre, il y a tellement de mensonges, de charlatans et de profiteurs qu'on ne sait plus qui croire !

- Je te comprends, mais ce n'est pas grave, tu vas écouter ton cœur. Lui seul sait ce qui est bon pour toi.

- Écouter mon cœur ?

- Oui, ton cœur. C'est une façon de parler. Ce n'est pas ton cœur comme tel qui parle, c'est simplement une voix intérieure, une intuition, une pensée profonde en toi qui te dit quoi faire.

- Une voix ? C'est comme parler à l'enfant intérieur ?

- Si tu veux.

- Et alors ?

- Ensemble, on va étudier sommairement les différents corps de l'être humain.

[Chapitre 2]

Les différents corps de

l'être humain

Moi est maintenant allongé confortablement sur la table de massage. Déjà les paroles de Ange semblent apaiser son esprit. Ange poursuit, déployant de temps à autre une page de son grand livre et lui dit :

- Pour pouvoir exister sur la terre, il te faut un corps physique et un corps énergétique. Tu vis dans une réalité différente de la mienne. Peu importe ma réalité et peu importe d'où je viens. L'important, c'est que tu connaisses la tienne. Tu ne peux connaître le tout sans comprendre les parties. Je vais te montrer, simplement, comment tu es constitué physiquement. Après quoi, je te montrerai comment soulager la souffrance des autres.

- Tu disais qu'il me faut un corps physique et…quoi d'autre ?

- Physique et énergétique. Vous êtes des êtres constitués de matière et d'énergie. Comme toute chose dans l'univers.

- Je ne comprends rien.

- Regarde, commençons d'abord par ton corps physique. Ton corps physique est comme un véhicule qui te permet de venir sur terre. Pour qu'il puisse habiter ici, le corps est composé de différents systèmes qu'il faut entretenir pour le bien de l'organisme.

Ange montre à Moi le grand livre où on peut lire :

 Le système respiratoire se charge de gérer, pour l'organisme, l'oxygène qui se trouve dans l'atmosphère; le système digestif s'occupe de la nourriture et élimine tous les déchets du corps; le système nerveux contrôle tous les systèmes; la mobilité est possible grâce aux systèmes osseux et musculaire; la capacité de sentir est régie par le système des sens ; le système cardio-vasculaire transporte les nutriments dans tous les systèmes. Les glandes produisent des secrétions nécessaires au bon fonctionnement des organes. Quant à la peau, elle protège tous ces systèmes de l'extérieur. Chaque système a son importance spécifique. Le corps humain est un monde, un univers ; se présentent une blessure, un manque, une dysfonction, et tout l'ensemble est affecté. Dans le corps tout est important et tout est relié. L'étude des systèmes du corps est appelée anatomie. Pour traiter une maladie, par exemple, une entorse, ou un problème à la colonne vertébrale, vous devez connaître l'anatomie en profondeur ; mais pour un massage de relaxation comme celui que nous proposons ici, il importe avant tout de vous sentir à l'aise avec vos mains, grâce auxquelles vous allez déchiffrer l'architecture du corps d'une autre personne. Plus qu'un massage scientifique, ce massage est une démarche sensorielle vers la découverte de la sensibilité et du pouvoir des mains. À ce jour, aucun instrument n'est plus performant que les mains pour exécuter un massage. De plus, les mains procurent de l'énergie. L'étude de l'anatomie peut retarder l'éveil de la sensibilité de vos mains. Néanmoins, si vous éprouvez le besoin de connaître davantage l'anatomie humaine, libre à vous...

- Je comprends. De toutes façons, il y a des livres et toutes sortes de moyens pour mieux connaître mon intérieur.

- Exactement. À toi d'en profiter. En devenant conscient de toi-même, de tous ces systèmes et de leurs fonctions respectives à l'intérieur de ton corps, tu valoriseras l'importance de la respiration, sans laquelle tu ne pourrais pas exister sur terre. L'oxygène nourrit toutes les cellules de ton organisme à chaque respiration. Tu dois faire de l'exercice, porter attention à ta nourriture, pour qu'elle soit vivante, parce que tout est vivant en toi, tout. Et comme ce corps physique est aussi composé d'énergie, il a également besoin du contact avec les autres humains existant autour de lui.

- Tu parles du besoin de contact avec les autres, mais ici, sur terre, il y a beaucoup de différences entre les hommes, nous ne sommes pas tous pareils. Beaucoup de choses nous divisent et, en plus, il y a trop de tabous par rapport au toucher.

- Vous les humains, vous êtes tous pareils, même si vous ne le reconnaissez pas. C'est vous qui mettez les barrières, c'est vous qui laissez la peur entrer dans vos cœurs. Tout est dans votre façon de penser. C'est vous qui faites la division entre les hommes.

- C'est nous ?

- Sur terre, il existe diverses cultures ; chacune a une perception différente du toucher, chacune a sa méthode pour soulager ses peines et ses souffrances. Certaines cultures interdisent même complètement le toucher.

- Et quoi faire alors ? *demande Moi.*

- Tu ne peux obliger personne à se laisser toucher. **Tu ne dois l'offrir qu'aux gens qui aiment et désirent se faire toucher,** sans quoi le massage devient une source de stress.

- Et qu'est-ce que c'est, mon corps énergétique ?

- Le corps physique est entouré d'un corps énergétique. Quand je te parle du corps énergétique, je te parle d'une énergie que, pour le moment, tu ne peux ni voir, ni toucher, mais que tu peux sentir. Pendant des millénaires, l'être humain a essayé de comprendre sa réalité. Pour arriver à ses fins, il a cherché dans tout et partout une réponse. Comme pour l'électricité, il y a des énergies positives et négatives. Ce concept ne doit pas être pris à la lettre. Positif/négatif ne veut pas nécessairement dire bon ou mauvais. Ce sont simplement des énergies. Chez tout être humain, ces deux énergies sont présentes. Leur proportion varie d'un individu à l'autre. L'énergie circule dans tout l'être humain par les canaux énergétiques du corps, comme le fait le sang. C'est le blocage de ce flux d'énergie, entre autres, qui favorise la maladie. Chez l'être humain, pour assurer l'harmonie intérieure, il faut un équilibre entre les énergies; mais aussi de l'oxygène, du repos, de l'exercice, une bonne nourriture, la joie de vivre, l'acceptation de soi-même, un travail valorisant ou une activité satisfaisante, de l'amour et un environnement sain. Si tu fixes consciencieusement le regard autour d'un corps humain dans une ambiance aux lumières tamisées, tu peux constater que ce corps est entouré d'un champ d'énergie composé de différentes couleurs. Le corps énergétique, si tu veux, est comme la flamme d'une chandelle : la mèche en est le corps physique et la partie sombre de la flamme entourant la mèche, le corps énergétique. Voilà ce qu'est le corps énergétique. L'amour même est une énergie très subtile qui peut tout faire. Tu ne peux pas le toucher, tu ne peux que le sentir. Il vient de l'intérieur.

- Mais… certains disent que tout cela est imaginaire.

- On le dit. Mais, peu à peu, l'être humain découvre sa réalité, et c'est à ce moment que l'énergie se manifeste, devenant réelle à ses yeux.

- Comment peux-tu en être si sûr ?

- C'est drôle, vous, les humains, vous êtes habitués à reconnaître et accepter tout ce que vous pouvez voir et toucher, le reste, c'est comme si ça n'existait pas. Mais vous vous trompez. Ce que vous pouvez voir dans l'univers n'est que le minimum. Toute personne qui vous dit qu'il y a autre chose, vous la traitez de folle. Vous n'acceptez que l'énergie que vous pouvez voir et toucher, mais moi, je te dis qu'il y a plusieurs sortes d'énergie. Plus la science avancera, plus vous ferez de nouvelles découvertes sur le corps humain et ses fonctions. Vos connaissances ne sont pas encore parfaites, mais vous êtes très avancés. Je comprends que ce soit difficile à croire pour toi : il y a tant de mensonges, de charlatans et de profiteurs. C'est à ce moment qu'il faut écouter ton cœur, qu'il faut te parler à toi-même, dans le silence, sans prétention, humblement, pour trouver une réponse.

- Me parler à moi-même ? Les gens vont penser que je suis fou.

- Peu importe, tu vas te parler à voix basse, juste pour toi, humblement, dans ton cœur. Il y a tant de choses que je peux t'apprendre. *La connaissance n'occupe qu'un petit espace dans le cerveau,* mais il faut que tu sois préparé à la recevoir, et cela se fait peu à peu ; de même, la science marche à petits pas.

Si tu recevais la connaissance d'un seul coup, tu pourrais devenir fou. Si tu veux, on pourra se rencontrer à nouveau.

- Je ne suis pas habitué à toutes ces notions, mais je veux bien te revoir. Je constate que tu connais plus de choses que moi. Alors, on continue ?

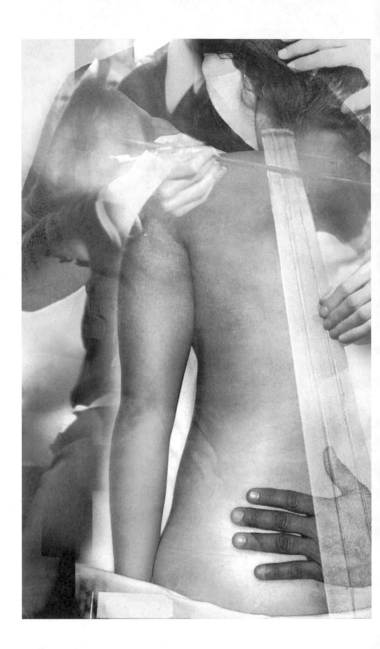

Chapitre 3

Musique
et massage

musico-sensoriel

Moi, dévoré par la curiosité, veut en savoir davantage. Ange répond à ses questions avec une infinie patience.

- Alors, ce que tu vas me faire, c'est un massage ?

- Exactement.

- Il y a toutes sortes de massage. Quelle méthode vas-tu me montrer ?

- Une méthode qui combine le toucher et la musique. Cette technique, tu l'appelleras « massage de relaxation musico-sensoriel » (MRMS) ou, si tu préfères, « massage musico-sensoriel » (MMS). Couche-toi maintenant sur le ventre !

- Pourquoi sur le ventre ?

- Dans le MMS, la partie la plus importante à masser est la partie arrière du corps : la tête, le cou, le dos, les bras, les mains, les fesses, les jambes et les pieds. C'est une partie à masser prioritairement, car c'est là que se loge la plupart du stress et des tensions accumulées. Une fois cette partie massée, on poursuit avec la partie antérieure, au cou, à la tête et au visage (si possible). Le cou est primordial.

- Mais… qu'est-ce qu'un massage musico-sensoriel ?

- Le MMS est un massage de relaxation préventif physique et énergétique. C'est une chorégraphie de mouvements. C'est un massage qui varie selon les circonstances.(Voir introduction page 11).

- Quoi ? Une chorégraphie de mouvements ?

- Oui, une chorégraphie de mouvements. Il existe différentes techniques pour masser un être humain, mais pour qu'il y ait un vrai massage de relaxation musico-sensoriel, il faut coordonner musique et mouvement. L'une complète l'autre. Et cette coordination parfaite entre la musique et les mouvements fait le massage musico-sensoriel. *Le corps devient un instrument de musique.*

- Et ça fait mal ?

- Mais non. De toute façon, il est toujours préférable de commencer par le MMS doux.

- Et pourquoi avec la musique ?

- La musique a joué un rôle très important dans l'histoire de l'humanité. Tu peux trouver des traces de son influence dans les légendes et les écrits laissés par les civilisations. Tous parlent du pouvoir que possède la musique d'influencer l'esprit de l'être humain et de l'univers. La musique a servi de nombreuses causes. Elle a été utilisée par la psychologie, par l'être humain pour exprimer la peur, la faiblesse, la force ou la tristesse, dans les rites religieux et même dans la guerre. Aujourd'hui encore, on croit à l'influence de la musique dans la guérison des maladies, ou dans la performance d'un individu au travail. La musique peut calmer, réveiller, stresser ; la musique peut créer un sentiment de tristesse, de joie, et donner du courage. Il y a eu, et il y aura toujours, des compositeurs de toutes sortes et pour tous les goûts. Chaque culture possède sa musique, et chaque individu a son propre rythme musical intérieur. Chaque personne aurait besoin d'un type déterminé de musique; la variété musicale est si grande que le choix en est illimité.

Ange lit dans son livre :

La nature, l'univers ont aussi leur musique et leur rythme. Tout est énergie en mouvement. Tout mouvement possède en lui-même un son.

La musique donne splendeur aux mouvements. La musique est un langage universel.

Ange continue son explication :

La musique et le toucher peuvent, ensemble, avoir un impact énorme sur ta façon de relaxer. Dans le MRMS, le masseur fait des mouvements précis inspirés par le climat de la musique. La musique accélère ou diminue la respiration, augmente ou diminue la pression artérielle. Le rythme augmente ou diminue l'énergie musculaire. Le MRMS se sert de la musique lente, qui calme, et de la musique vive et rapide, qui stimule. Il faut combiner musique et mouvement, car dans ce type de massage, l'une sans l'autre n'a pas de sens. *La musique donne vie au mouvement.* La musique est la traduction du mouvement. Un mouvement bien fait, un accord musical bien joué peuvent défaire un nœud musculaire. La musique peut t'amener à un état de régression qui pourrait porter à ta conscience des conflits intériorisés et te permettre de faire la paix avec eux. La musique permet aussi d'annuler toutes les pensées indésirables. Toute musique peut relaxer, qu'elle soit douce, vigoureuse, lente ou rapide. À chacun de choisir celle qui lui convient.

Ange se tait. Le silence fait aussi partie de la musique. Tous ces enseignements tournoient dans la pensée de Moi. Après un moment, il demande à Ange :

- As-tu déjà reçu un massage ?

- Oui, mais dans un autre contexte.

- Dans quel contexte ?

- Ne t'inquiète pas pour des choses que tu ne comprendrais pas maintenant. À chaque jour suffit sa peine.

- Veux-tu vraiment expérimenter le massage musico-sensoriel ?

- Oui. J'imagine que je vais devenir un instrument de musique ?

- Exactement. On va aborder ton corps comme un instrument à quatre cordes.

- À quatre cordes ?

- Oui.

Et, comme par magie, le livre de Ange s'ouvre de lui-même à la page intitulée : « Les quatre cordes du corps humain »

LES QUATRE CORDES DU CORPS HUMAIN

Le corps humain est l'instrument le plus complet qui soit. En lui, nous trouvons le son, le chant, le battement des mains, la respiration, le battement du cœur. Les instruments musicaux sont simplement une prolongation du corps humain.

Dans cette approche, le dos est divisé en deux par la colonne vertébrale : partie droite et partie gauche. Chaque partie est composée d'un côté externe, d'un côté interne et d'une portion supérieure.

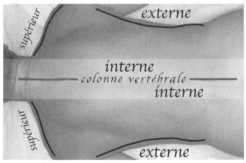

Dans le massage musico-sensoriel, la partie postérieure du corps humain devient un instrument de musique composée de 12 octaves et

35

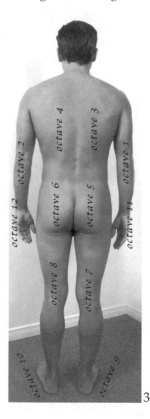

de quatre cordes. Chaque partie du corps est appelée « octave musicale ». Les bras, les mains, les jambes, les deux parties du dos, les fesses, les pieds sont des octaves. Voir Note 1, page 86. Les bras, les mains, les jambes et les pieds comprennent trois lignes imaginaires : ligne imaginaire centrale, ligne imaginaire latérale externe, ligne imaginaire latérale interne. Chaque partie du dos comprend trois lignes imaginaires : ligne ima-

octave 2
octave 4
octave 3
octave 1
octave 12
octave 6
octave 5
octave 11
octave 8
octave 7
octave 10
octave 9

3

externe
central
interne

4

externe
interne
central

5

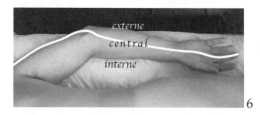

externe
central
interne

6

36

ginaire latérale externe, ligne imaginaire latérale interne et ligne supérieure.

La ligne centrale des bras, des mains, des jambes, des fesses et des pieds, ainsi que les lignes internes du dos sont appelés « les quatre (4) cordes ».

Ainsi, la corde #1 se trouve sur le bras et la main droit, la corde #2 se trouve sur la partie droite interne du dos, et se prolonge sur la fesse, la jambe et le pied droits; la corde #3 se trouve sur la partie gauche interne du dos, et se prolonge sur la fesse, la jambe et le pied gauche; la corde #4 se trouve sur le bras et la main gauche.

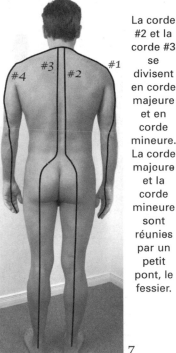

La corde #2 et la corde #3 se divisent en corde majeure et en corde mineure. La corde majeure et la corde mineure sont réunies par un petit pont, le fessier.

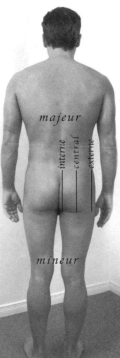

7

8

37

Il faut entretenir le muscle fessier qui unit les deux cordes, car il est un pont entre les deux jambes et le dos, un lien entre le haut et le bas. Ne pas le faire serait synonyme d'entretenir deux lieux unis par un pont et négliger ce dernier. Le muscle fessier est divisé lui-même en trois lignes imaginaires : ligne externe, ligne centrale et ligne interne.

Les quatre cordes s'unissent au cou en un même point, la tête, qui contient le cerveau. C'est une des raisons pour lesquelles pétrir le cou fait tant de bien.

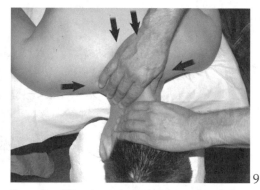

9

Pour que l'être humain fonctionne bien, il faut que ces quatre cordes fonctionnent en harmonie, qu'elles soient accordées. Si elles ne le sont pas, cet instrument fonctionne mal et le bien-être ne se produit pas. Tout ce qui arrive dans le corps influence le tout. Si l'une de ces quatre cordes se désaccorde, il s'ensuit un déséquilibre qu'il faut enrayer. Le but d'un MRMS est d'accorder cet instrument. On l'accorde en enlevant le stress, la fatigue et les points de tension.

Le masseur, en divisant toutes les parties du corps en octaves, en cordes et en lignes imaginaires, fait du corps humain un instrument facile à toucher. Toutefois, il lui faut aussi tenir

38

compte des plis naturels (Illustration 10) qui se forment à l'union des deux parties, par exemple : cou/tête, épaule/bras, fesses/tronc, fesses /cuisses, genoux et taille. Les octaves servent à mieux identifier l'endroit où exécuter les mouvements, les cordes servent à mieux identifier l'endroit où faire les pressions, tandis que les lignes imaginaires indiquent où placer les mains. On remarquera que les mouvements commencent et finissent plus naturellement leur course par les plis naturels.

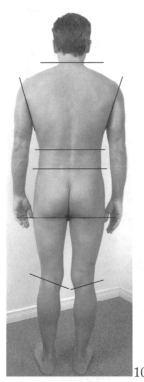

Plis naturels

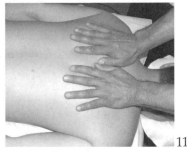

Commencement d'un mouvement

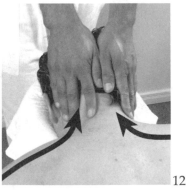

Fin d'un mouvement

Ange poursuit :

- Pour donner un massage musico-sensoriel, tu peux utiliser différentes parties de ton corps. Les plus utilisées sont les mains, les doigts, le coude et l'avant-bras. Ces outils doivent être souples et expérimentés, car chaque mouvement doit être parfait, sans quoi tu peux produire de la douleur et stresser la personne que tu masses. Tous les mouvements que tu vas apprendre doivent être pratiqués maintes fois. Il faut garder en tête que ce massage est une danse parfaite et que ce contact doit être direct et naturel. Guidés par la musique, tous ces mouvements s'enchaînent les uns aux autres.

13

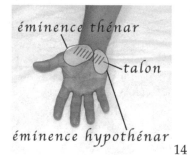

éminence thénar

talon

éminence hypothénar

14

40

- Le massage que tu vas me montrer, c'est avec ou sans huile ? Et si c'est avec l'huile, quelle sorte d'huile utiliser ? Et comment l'appliquer ?

- Je vais te faire un massage avec l'huile. Il en existe toutes sortes pour le massage. Le plus important est d'utiliser une huile de base facile à manipuler et à laquelle tu peux ajouter quelques gouttes d'huile essentielle pour donner une odeur et une qualité différentes. Tu peux aussi choisir une huile sans parfum. Les huiles ont diverses propriétés, choisis celle qui te convient. Je te conseille de ne pas verser l'huile directement sur la peau de la personne massée. Verse-la d'abord dans ta main, ou sur le dos de ta main et applique-la ensuite sur la peau du sujet massé. Illustrations 15, 16.

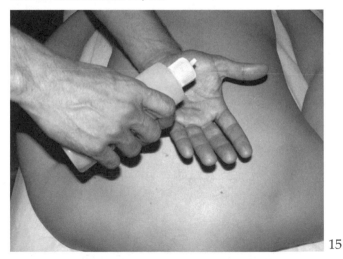

15

- Pour faire ce massage, faut-il beaucoup de force ? Les muscles doivent-ils être pressés vigoureusement ?

41

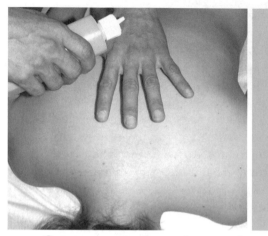

16

- Ce massage ne demande pas nécessairement beaucoup de force. L'intensité de la pression dépend de l'état de santé et du désir de la personne qui reçoit le massage. Certaines personnes pensent, à tort, qu'un bon massage se fait en écrasant les muscles : c'est une fausse perception du massage. Dans un MMS, certains mouvements conviennent mieux à certains types de corps. Le masseur doit identifier rapidement quels mouvements s'adapteront le mieux au corps de la personne massée. Sur ce point, une bonne évaluation t'aidera à réussir la séance thérapeutique.

- Et lorsqu'on est allongé sur la table, prêt à recevoir ton massage, que doit-on faire de plus ? Écouter la musique ? Penser aux mouvements ? Sur quoi se concentrer ?

- Tout ce que tu dois faire, c'est te laisser aller à la musique et aux mouvements. Tu vas atteindre à un état de réceptivité totale en sachant que tu peux

42

me faire confiance. Ne t'inquiète pas de savoir si j'ai le pouvoir de te guérir ou pas. Je peux te garantir que je vais soulager tes souffrances et qu'en même temps, par cette expérience personnelle, tu vas apprendre à soulager les autres. Tu seras initié, si tu le veux.

- Et quels sont les effets de ce massage ?

- Ce massage aide à nettoyer les toxines qui s'accumulent avec le temps. Il facilite la circulation sanguine et la respiration, atténue l'anxiété, ralentit le rythme cardiaque et aide à défaire les nœuds musculaires dus à la tension. Le toucher énergétique, le toucher physique et la musique, associant leurs forces, forment un antidote contre de nombreux malaises résultant du stress accumulé : maux de dos, douleurs musculaires, dépression, fatigue. De plus, ce massage rend la personne qui le reçoit plus sensible à sa composition physique et contribue à l'équilibre entre son corps et son esprit. Il te permettra de te rencontrer toi-même. Il t'aidera à sentir que quelqu'un te veut du bien. La musique, quant à elle, favorise un état méditatif pur et, grâce à elle, tu pourrais entrer dans un état de sérénité tel que tes soucis te sembleront des bagatelles. Et c'est alors que tu feras un voyage de soulagement profond dont tu sortiras moins lourd, reposé, plein d'énergie, conscient de ta composition physique. Ce massage est une danse, une plongée dans le monde de la musique, celle-ci permettant l'expression d'un mouvement sous une forme toujours renouvelée; ce massage apprend au corps du sujet massé à mieux danser avec ses sensations et le monde extérieur.

[Chapitre 4]

Préparatifs

- Y a-t-il des préparatifs avant le massage ?
- Oui, certainement.

√ Interroge tout d'abord la personne qui sollicite le massage sur son état de santé physique et émotif.

√ Choisis un endroit isolé et calme. Assure-toi que la température soit confortable; un endroit trop ou pas assez chauffé peut enlever les bienfaits du massage. L'éclairage ne doit être ni trop vif, ni trop directement orienté sur le sujet massé. Un éclairage tamisé invite à la détente.

√ Habille-toi d'une façon simple et confortable pour assurer la plus grande liberté d'exécution de tes mouvements.

√ Choisis des extraits musicaux : la musique aide à traduire ce que tu veux dire dans les mouvements. Elle est essentielle au MRMS. Tu peux également laisser la personne massée choisir la musique qu'elle veut entendre pendant le massage.

√ Il est préférable, pour bien masser, de garder tes ongles courts.

√ Lave-toi les mains avant et après avoir touché quelqu'un. Rappelle-toi que tu vas masser un être humain. Il importe que le toucher soit libre de toute impureté.

√ Prépare l'huile, les serviettes, les chandelles et l'encens. Le feu brûle les mauvaises énergies et l'encens les purifie. Illustration 17.

17

√ Demande à la personne massée d'enlever le plus de vêtements possible, selon son bon vouloir, tout en tenant compte des conditions du moment. Demande-lui aussi de retirer ses bijoux ou tout accessoire qui pourrait nuire à la circulation de l'énergie ou aux mouvements lors du massage.

√ Encourage la personne massée à accompagner le massage d'une respiration lente, calme, consciente et libératrice afin de favoriser son abandon maximal.

√ Applique l'huile sur le corps entier en une seule fois, en utilisant le mouvement d'effleurage léger. Si c'est un massage spécifique, applique-le à l'endroit pertinent.

√ Enveloppe-toi dans un nuage de lumière et utilise tes connaissances du massage musico-sensoriel.

√ À la fin du massage, avant de couvrir le sujet massé, enlève le surplus d'huile avec un linge.

√ Procure-toi un drap de coton pour couvrir

la personne et un autre pour couvrir sa tête. (Voir l'illustration 17).

- Lorsque tu rencontres quelqu'un qui est prêt à se faire toucher, tes mains doivent être douces, détendues, en harmonie avec la musique, en communion avec ton esprit et avec le sien. Le but, ici, est de soulager et non de guérir, mais le soulagement pourrait aider à la guérison.

Le plus important est de tenir compte de ceci : les mouvements doivent être justes, précis, bien dirigés, rythmés et délicats. Regarde la personne comme un être parfait, mais aussi comme une personne fatiguée, tendue, qui a besoin de tes mains pour se sentir moins lourde et pouvoir devenir consciente d'elle-même.

- Sur une table de massage, est-ce la seule façon de donner un massage musico-sensoriel ?

- Pas nécessairement. Bien que je suggère fortement une table de massage pour le confort du masseur et du massé, il est toujours possible de réaliser un massage bienfaisant dans d'autres situations : debout en faisant la vaisselle, assis sur une chaise, au lit, par terre, mais toujours dans une position confortable pour les deux parties. Rappelletoi que la position adoptée pour jouer d'un instrument est très importante et que, dans le MMS, *le corps est un instrument de musique*.

- Comment doit-on procéder pour un massage musico-sensoriel ?

- Une fois tous les préparatifs en place, tu dois détecter les besoins de la personne qui sollicite le massage. Si ses besoins sont de type physique, applique un massage MS global ou spécifique. S'ils sont également de type affectif, mesure ta force et tiens toujours compte du fait qu'il s'agit d'un être humain à part entière et méritant respect, compréhension et compassion. Si ses besoins dépassent tes limites, oriente-le vers toute autre personne compétente. Lorsque le massage est terminé, fais un balayage pour ramasser le surplus d'énergie que tu jetteras ensuite vers le sol ou en direction d'une pièce aimantée, si possible.

- Couvre la personne, sors de la chambre et laisse-la se reposer et se centrer sur elle-même. À ton retour, apporte un verre d'eau ou de la tisane. Découvre la personne lentement en tirant doucement le drap qui la couvre. (Voir les illustrations 18, 19.)

- Ton travail terminé, remercie la vie. Tu peux aussi inviter la personne à prendre une douche pour enlever le surplus d'huile. De plus, l'eau aide à éliminer les tensions qui pourraient subsister.

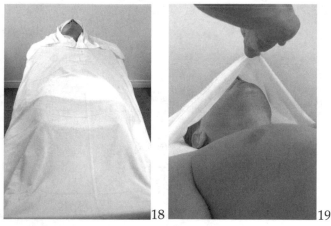

18   19

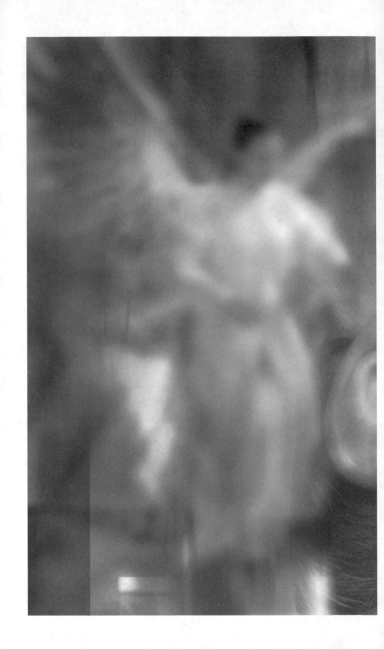

[Chapitre 5]

Mouvements
et
écoutes
énergétiques

- Combien y a-t-il de mouvements ?

- Dans le massage de relaxation musico-sensoriel (MRMS), il y a 17 mouvements physiques et 8 écoutes énergétiques. La technique de base ne comprend que 10 mouvements physiques et 6 écoutes énergétiques. Les techniques physiques sont toujours accompagnées d'écoutes énergétiques. C'est la combinaison de ces techniques et l'aptitude à épouser avec souplesse et sensibilité les fluctuations de la musique qui fait le massage musico-sensoriel. Tu dois pratiquer plusieurs fois les mouvements pour bien les maîtriser. Chaque mouvement a un but spécifique, certains d'entre eux ont même plusieurs buts. En général, sur le plan physique, tous ces mouvements aident à relâcher les tensions, à soulager la douleur et à calmer la personne.

1. Mouvement d'effleurage

Ce mouvement aide à explorer le terrain sur lequel tu vas travailler et indique le type de massage dont la personne a besoin. L'effleurage peut servir à détecter les points de tension de l'individu.

Il consiste en un glissement continu des mains à plat, sur la peau du massé, allant du superficiel (ou léger) au profond, en parcourant toutes les surfaces du corps. Il vaut mieux commencer l'effleurage en partant d'une extrémité, comme l'épaule par exemple. L'effleurage peut aussi se faire avec le bout des doigts. L'effleurage peut constituer un massage en soi. Illustrations 20, 21.

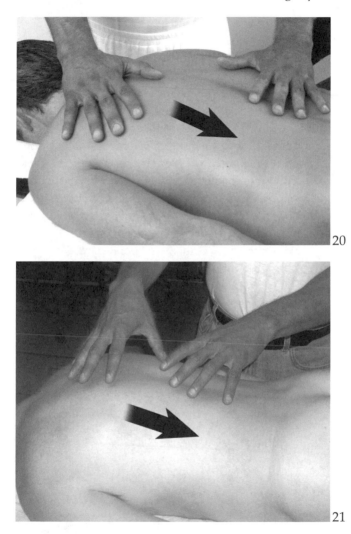

Un rappel : tous les mouvements que tu vas apprendre doivent être pratiqués maintes fois.

2. Mouvement de pétrissage

Ce mouvement aide à remettre les muscles dans une position normale après une tension.

Il consiste à bouger les muscles comme si c'étaient des morceaux de pâte à modeler. Si tu places les mains sur une jambe, côte à côte, en demi-anneau (illustration 25), tu remarques que tous les points d'appui se situent sur les lignes avec lesquelles nous avons divisé chaque octave. Si tu es à la jambe de la personne qui est couchée sur le ventre, le centre de ta main s'appuie à la ligne centrale postérieure de la jambe, tes doigts s'appuient sur la ligne latérale intérieure de la jambe, et tes pouces, sur la ligne latérale extérieure. Ainsi, tu peux commencer à pétrir en prenant la jambe comme un morceau de pâte. Le pétrissage est très utilisé sur les parties plus charnues, comme les côtés externes du dos, les fesses, le cou, les bras et les jambes. Tu pétris, en douceur ou en profondeur, selon les circonstances, en alternant les mains. Illustrations 22, 23, 24, 25.

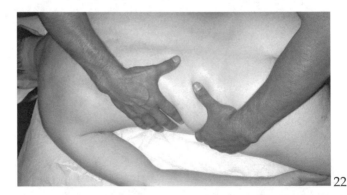

22

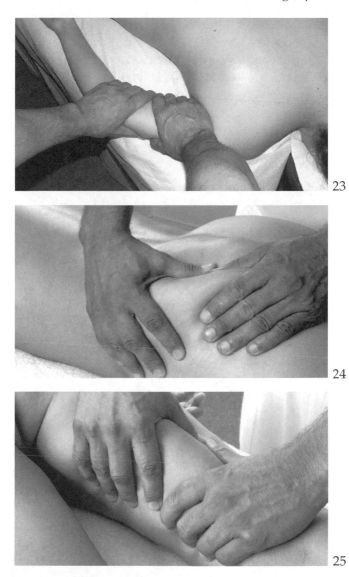

23

24

25

3. Mouvement de presse-glisse

Ce mouvement aide à faire circuler l'énergie bloquée dans les cordes. Certains de ces mouvements aident à apaiser la colonne vertébrale. Ils aident également à faire monter l'énergie vers le cou, ou la faire descendre vers le sacrum.

C'est un mouvement fusionnant pression et glissement. La pression peut être légère ou profonde, mais doit être constante.

3.1 Mouvement de presse-glisse au dos avec le talon des mains. Voir page 40, illustration 14.

Positionne-toi à la tête de la personne. Place tes mains en haut du dos ; en te servant des talons des

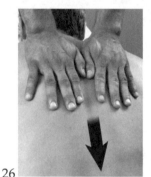

mains ou des index, fais un presse-glisse sur les côtés internes du dos, en les dirigeant vers le bas. (Illustrations 26, 27).Tu peux faire aussi ce mouvement en commençant au bas du dos, ou en faisant un mouvement de presse-glisse sur les côtés externes du dos (voir l'illustration 29).

26

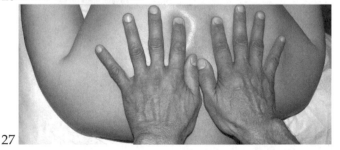

27

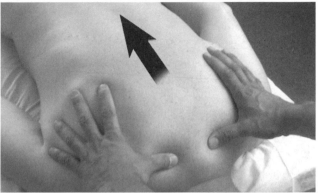

28

3.2 Mouvement de presse-glisse au dos avec la pulpe des pouces écartés des autres doigts, la main à plat en L (illustration 28), ou en gardant les autres doigts repliés.

Positionne-toi à la tête de la personne. Commence le mouvement de presse-glisse en haut du dos, en plaçant tes mains de chaque côté interne du dos. Presse-glisse en les dirigeant vers le bas. Une fois arrivée aux fesses, sépare tes mains en les faisant remonter de chaque côté externe du dos pour recommencer le mouvement. (Voir page 74.)Tu peux faire ce mouvement en commençant au bas du dos (illustration 29).

29

3.3 Mouvement de presse-glisse avec les pouces alternés.

Positionne-toi à la tête de la personne. Place ta main ouverte en **L**, ou en gardant les autres doigts repliés, sur le haut du dos, à l'angle de chaque omoplate et de chaque côté interne du dos. Commence le mouvement en exerçant un presse-glisse avec les deux pouces, en alternance. Dirige les mains vers le

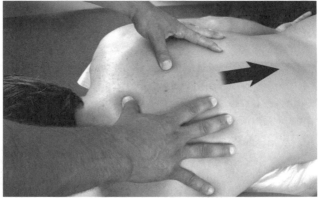

30

bas du dos. Une fois arrivée aux fesses, sépare tes mains, en les faisant remonter de chaque côté du dos. On peut aussi faire ce mouvement en utilisant les pouces, en les plaçant du même côté interne du dos, en faisant un presse-glisse en alternance. Illustrations 30, 31.

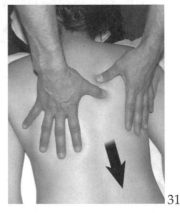

31

3.4 Mouvement de presse-glisse sur la colonne vertébrale avec la main à plat.

Positionne-toi à gauche ou à droite de la personne. Place une seule main à plat, en haut du dos, sur la colonne, les doigts dirigés vers le sacrum, et descend en mouvement de presse-glisse vers le bas, ou monte vers le haut du dos jusqu'à la tête pour enchaîner avec un autre mouvement. Tu peux faire aussi ce mouvement avec les deux mains. Positionne-toi à la tête de la personne. Place tes mains l'une sur l'autre, sur la colonne et fais un presse-glisse avec le centre de ta main en la dirigeant vers le bas du dos, pour enchaîner avec un autre mouvement. Illustrations 33.

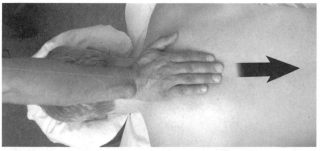

32

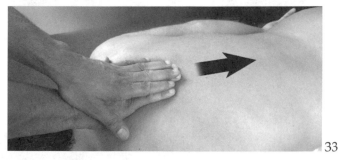

33

3.5 Mouvement de presse-glisse au dos, avec deux doigts en V.

Positionne-toi à côté de la personne. Place ton index et ton majeur en haut du dos, mets tes doigts perpendiculairement de chaque côté interne du dos et descends en presse-glisse vers le bas du dos jusqu'au sacrum. Tu peux faire ce mouvement dans le sens contraire, vers le cou, en commençant au sacrum.

34

3.6 Mouvement de presse-glisse sur les jambes.

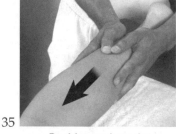

Position en bracelet

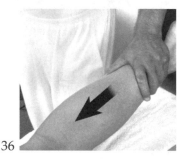

Place tes deux mains en bracelet sur la ligne centrale de la jambe, au niveau de la cheville. Tout en pressant et en glissant avec les pouces, monte vers la cuisse jusqu'au pli de la fesse. Descends par les côtés et répète le mouvement. Ce mouvement peut se faire aussi avec une seule main ou avec les deux mains, une main suivant l'autre, en t'appuyant avec le centre de tes

35

36

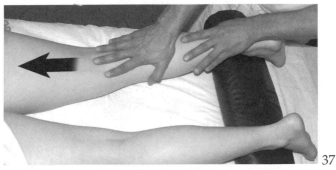

37

Une main suivant l'autre

mains sur la ligne centrale de la jambe. Illustrations 35, 36, 37.

3.7 Mouvement de presse-glisse sur les pieds avec un ou deux pouces.

Positionne-toi aux pieds de la personne. Prends un pied par le dessus avec les deux mains puis, avec les deux pouces, fais des mouvements de presse-glisse, en alternance, sur

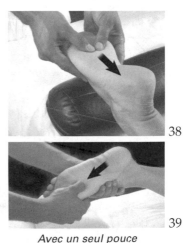

38

39

Avec un seul pouce

les trois lignes. On peut faire aussi le mouvement avec un seul pouce. Illustration 39, voir aussi l'illustration 5, page 36.

40

Bonne façon de tenir un pied

38

61

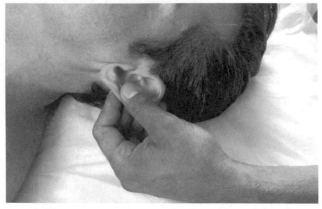

41

3.8 Mouvement de presse-glisse aux oreilles.

Positionne-toi à la tête de la personne qui est couchée sur le dos. Prends le pavillon ou le lobe de l'oreille avec le pouce et l'index et, délicatement, commence à faire un mouvement de presse-glisse sur toute l'oreille.

3.9 Mouvement de presse-glisse aux épaules.

Assieds-toi à la tête de la personne qui est couchée sur le ventre. Place tes talons de main ou tes

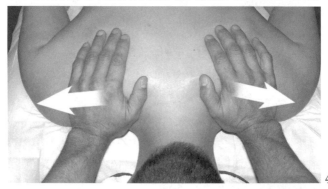

42

pouces sur l'épaule, au niveau du trapèze, à la ligne supérieure du dos. Presse légèrement vers le bas et glisse en même temps vers l'extérieur. Répète le mouvement. Ce mouvement aide à faire circuler vers le sacrum l'énergie qui est devenue négative et qui est accumulée sur la partie supérieure du dos.

3.10 Mouvement de presse-glisse aux joues.

Positionne-toi debout à la tête de la personne qui est couchée sur le dos. Place tes pouces au bord du

nez, sur les rides du sourire, et déplace-les en faisant un presse-glisse vers l'extérieur. Tu peux le faire aussi en prenant les pommettes entre tes pouces et tes doigts, et glisser en tirant vers l'ex-térieur.

43

3.11 Mouvement de presse-glisse au cou.

Positionne-toi debout, à la tête de la personne

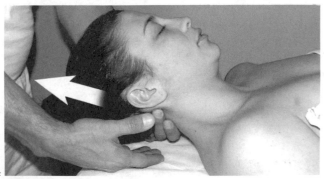

44

63

qui est couchée sur le dos. De la main droite ou gauche, prends la tête à la base du crâne, lève-la un peu en la soutenant, et, en alternance, mets l'autre main dans la même position en glissant doucement vers toi. Change de main sur un rythme régulier. Une autre variante de ce mouvement est de pren-

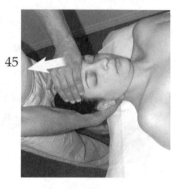

dre la tête avec les deux mains, en la levant un peu, et tire vers toi, en t'appuyant sur l'occiput (qui se trouve à la base du crâne). Tu peux également exécuter ce même mouvement en mettant une main à la base du crâne et l'autre sur le front. Illustrations 45.

3.12 Mouvement de presse-glisse cou/épaule.

Positionne-toi à la tête de la personne qui est couchée sur le dos. Prends la tête de la personne avec la main droite, lève-la un peu en faisant comme si tu amenais la tête vers l'épaule droite. Avec la main gauche, appuie-la sur la ligne imaginaire supérieure du dos (portion supé-rieure gauche). Étire en glissant la main vers l'épaule. Ramène la tête à sa position initiale et recommence le mou-vement de l'autre côté en inversant les mains.

4. Mouvement de friction

Ce mouvement aide à défaire les nœuds qui s'accumulent dans les cordes. Mouvement de pression en petits cercles très précis, faits en profondeur avec les pouces ou avec le talon de la main. Le sens de la friction est habituellement perpendiculaire à la surface massée qui a d'abord été préparée par des manœuvres plus légères. Mouvement très utilisé sur le dos et les pieds.

4.1 Mouvement de friction avec les deux pouces.

Positionne-toi à la tête de la personne. Les deux pouces sont placés en haut du dos, de chaque côté interne avec les mains ouvertes ou les doigts repliés. Les pouces exercent une pression en cercle, tout au long de la partie interne du dos vers le sacrum, en remontant par les côtés externes du dos. On peut faire ce mouvement avec un seul pouce. On peut aussi aller autour des omoplates. Voir page 74.

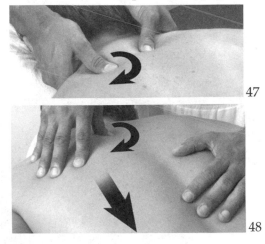

47

48

5. Mouvement de percussion

Ce mouvement aide à réveiller l'énergie. Dans ce mouvement, les deux mains travaillent en alternance, en donnant de petits coups vifs et rythmés. L'intensité des coups varie selon le seuil de tolérance de chacun. Le mouvement consiste à marteler les muscles de la zone choisie, comme si tu voulais les réveiller. À exécuter surtout dans les zones plus charnues du corps. Très utilisé sur les fesses et les jambes, en évitant le creux des genoux. Certaines personnes n'aiment pas recevoir ce toucher.

Ce mouvement peut se faire avec la bordure des mains, la bordure des petits doigts, avec le côté char-

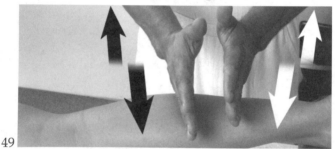

49

Percussion avec la bordure des mains ou avec les petits doigts

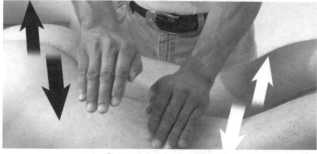

50

Percussion en cuillère

nu des poings ou avec les doigts repliés, en tapotement avec la main en cuillère, et avec la pulpe des doigts fléchis, comme si tu jouais du piano. illustrations 49, 50, 51, 52, 53.

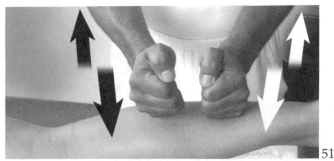

51

Percussion avec le côté charnu des poings

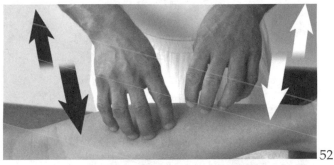

52

Percussion avec la pulpe des doigts fléchis

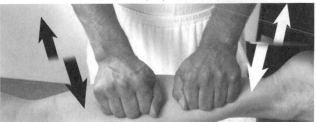

53

Percussion avec les doigts repliés

6. Mouvement de vibration

Ce mouvement réveille les terminaisons nerveuses, donnant une sensation de réveil à tout le corps. Il se fait surtout avec la main ouverte, sur un rythme progressant de modéré à rapide. Lorsque la vibration est bien faite, la main paraît immobile.

6.1 Mouvement de vibration au dos.

Positionne-toi à côté de la personne. Place ta main à plat sur le sacrum ou au milieu du dos, avec les doigts dirigés vers la tête ou vers le sacrum. Exécute les mouvements de vibration en secouant la main. Tu peux aussi faire ce mouvement en te plaçant à la tête de la personne.

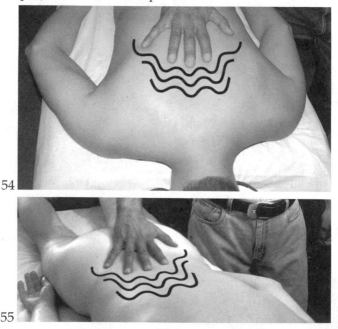

54

55

7. Mouvement d'élongation

Ce mouvement aide à faire circuler les énergies accumulées au centre, vers les extrémités de la partie choisie.

Il consiste en un étirement d'une partie choisie du corps que tu divises en deux sections. À partir du centre, tu étires la partie choisie vers ses deux extrémités en prolongeant le mouvement comme si tu voulais l'allonger jusqu'à l'infini. Très utilisé pour le dos, les bras, le front, le menton et les jambes.

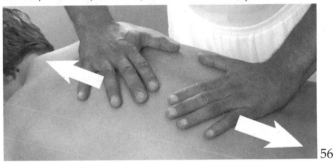

56

7.1 Mouvement d'élongation des côtés du dos.

Positionne-toi à côté de la personne. Place tes mains au milieu (à la taille), du côté opposé à toi et sur le côté extérieur du dos. Empoigne chaque côté et fais l'étirement vers les extrémités.

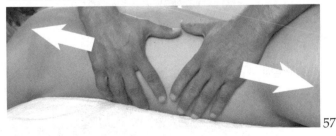

57

7.2 Mouvement d'élongation de la jambe.

Positionne-toi vis-à-vis du creux sous le genou. Place tes mains au milieu, en demi-anneau. Empoigne chaque côté de la jambe et fais l'étirement.

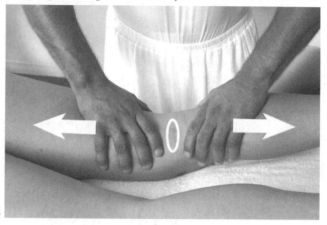

58

7.3 Mouvement d'élongation du menton.

Positionne-toi à la tête de la personne. Tu places tes pouces au milieu du menton, les autres doigts au bord, et tu étires vers les extrémités.

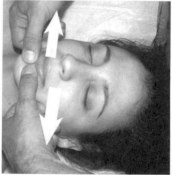

59

70

7.4 Mouvement d'élongation sur le front.

Assieds-toi à la tête de la personne. Place les doigts ou les pouces au milieu du front. Presse-glisse en te dirigeant vers les tempes, en réduisant peu à peu la pression.

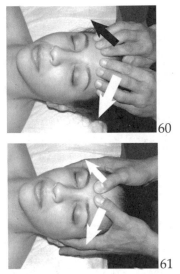

Tu peux aussi faire ce mouvement avec la paume des mains, en te plaçant debout à la tête de la personne.

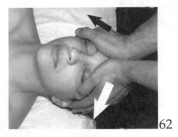

8. Mouvement en Spirale

Ce mouvement aide à calmer les tensions des deux parties qui divisent le dos. Il aide aussi à répandre l'énergie.

Ce mouvement se compare à l'action de nager (la brasse). Il se fait avec la main ouverte ou avec la partie charnue de l'avant-bras, sans bouger le sujet. Tu peux faire le mouvement en spirale en te positionnant à côté, ou à la tête de la personne.

8.1 Mouvement en Spirale avec la main ouverte sur le dos.

Positionne-toi à la tête de la personne. Mets les deux mains ouvertes sur son dos et commence à faire de petits mouvements de presse-glisse, comme si tu nageais, en t'en allant vers l'extérieur et l'intérieur du dos, tout en exerçant une pression. Dirige les mains vers le sacrum et recommence le mouvement.

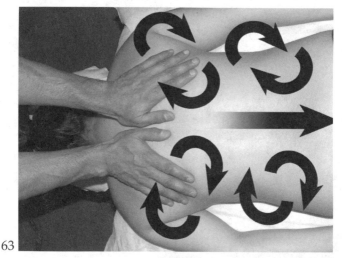

63

8.2 Mouvement en Spirale avec les avant-bras.

Positionne-toi à côté de la personne. Place tes avant-bras au milieu du dos et commence à glisser et à bouger comme si tu nageais, tout en faisant une presse-glisse, du centre vers les côtés et vice-versa.

64

8.3 Mouvement en Spirale avec les mains ouvertes fesse/dos. Illustration 65.,

Positionne-toi à gauche ou à droite de la personne. Place les mains sur les fesses et commence à faire des cercles en faisant des presse-glisse, principalement avec le talon des mains, surtout au centre des fesses, et monte en pressant sur le dos, vers les côtés internes et externes du dos, comme si tu nageais.

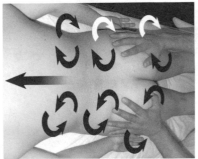

Termine le mouvement en t'en allant vers les épaules, puis descends le long des bras ou par les côtés extérieurs du dos. Répète tout le mouvement. Page 74.

65

73

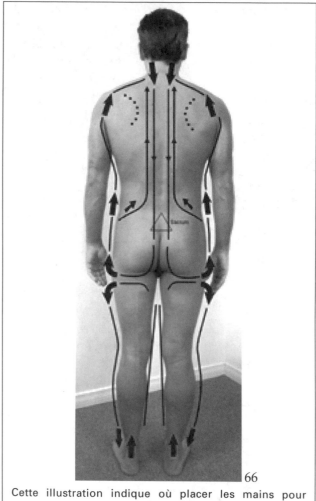

66

Cette illustration indique où placer les mains pour commencer un mouvement au dos, par où tourner pour remonter et par où sortir du mouvement. De même pour les jambes. On peut voir aussi où presser sur l'omoplate.

9. Mouvement de crochet

Ce mouvement aide à défaire les nœuds qui s'accumulent dans les cordes; il aide également à faire circuler l'énergie vers le cou.

Ce mouvement est surtout conçu pour le dos, de chaque côté interne. Il se fait en coordonnant les deux mains. Positionne-toi à gauche de la personne. Place l'index et le pouce de la main gauche en haut du dos, de chaque côté interne du dos, doigts dirigés vers le sacrum, et mets le pouce de l'autre main entre ces deux doigts puis, sans toucher à la colonne, fais un mouvement de va-et-vient avec ton pouce, en presse-glisse.

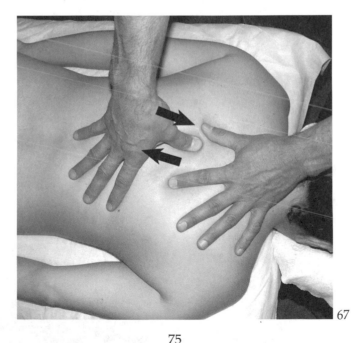

67

10. Mouvements circulaires

Ces mouvements aident à fusionner l'énergie.

Ils se font avec la main ouverte ou le bout des doigts, perpendiculairement à la zone choisie.

10.1 Mouvement circulaire sur le dos (mouvement que j'appelle « en araignée »).

Positionne-toi à gauche ou à droite de la personne. Place la pulpe des doigts d'une main sur le haut du dos, perpendiculaires à la surface du dos, les quatre doigts étant placés d'un côté de la colonne vertébrale et le pouce, de l'autre côté. Exerce des pressions circulaires sur la partie latérale interne du dos, en descendant vers le bas. Normalement ce mouvement est fait avec la main droite ou les deux mains en même temps.

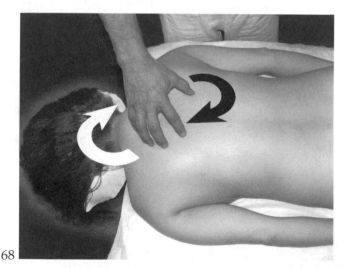

68

10.2 Mouvement circulaire avec la pulpe des doigts sur la tête.

Positionne-toi à la tête de la personne. Place le bout de tes doigts sur sa tête. Fais des mouvements circulaires sur le cuir chevelu.

69

10.3 Mouvement circulaire avec la main ouverte sur le dos.

Positionne-toi à côté de la personne. Place une main ouverte sur la colonne vertébrale et fais des mouvements circulaires. Ce mouvement peut aussi se faire avec les deux mains.

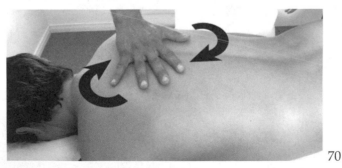

70

Ange lit à voix haute dans son livre :
Pour qu'un mouvement soit complet et agréable, il faut tenir compte de tout le trajet parcouru sur la partie (octave) que vous allez masser. Par exemple, le bras part de l'articulation de l'épaule et va jusqu'aux poignets, la main va du poignet jusqu'aux ongles ; une jambe part du pli fessier et va jusqu'au talon, le dos part du cou et va jusqu'au commencement des fesses; une fesse part de la jonction dos/fesses et va jusqu'au pli fessier, un pied commence au talon et se termine aux orteils. Rappelez-vous aussi des plis naturels, très utilisés pour sortir d'un mouvement. Chaque mouvement peut trouver son correspondant exact dans le répertoire musical. Il existe des motifs musicaux appropriés à chaque mouvement. Tous ces mouvements et tous ces rythmes réunis, forment un MRMS. Si vous jugez que vous n'êtes pas compétent pour masser quelqu'un, mieux vaut vous abstenir afin d'éviter de faire plus de mal que de bien.

-Je suis fasciné par tes explications.

-On continue, dit Ange. Voici les écoutes énergétiques :

LES ÉCOUTES ÉNERGÉTIQUES

Ange poursuit sa lecture :
Une écoute énergétique est l'imposition de la paume d'une ou des deux mains, ou encore du pouce ou des deux pouces à l'endroit où nous voulons intervenir. Elle nous permet de travailler sur le plan énergétique et physique de la personne qui souffre. Elle aide à affirmer l'énergie du corps, à enlever certaines énergies qui doivent être dégagées, ou simplement à calmer ces énergies. Il y a différents types d'écoute énergétique. En voici quelques-uns.

Ange explique :

-Pour commencer, tu te prépares à recevoir l'énergie. Les bras étendus et les mains ouvertes vers le haut (debout ou assis), centre-toi, tout en te protégeant des mauvaises énergies. Confie-toi aux êtres spirituels qui te guident, selon tes croyances, pour qu'ils te donnent le pouvoir de procurer de l'énergie et répondre aux besoins de la personne que tu t'apprêtes à masser. Après cela, tu commences. Tu n'es plus qu'un transmetteur d'énergie. Tu peux utiliser les techniques énergétiques quel que soit l'état de santé de la personne. L'imposition des mains, avec de bonnes intentions et une énergie positive, aide le massé à entrer en contact avec lui-même. Je te rappelle que dans le MMS le massage physique est toujours combiné aux écoutes énergétiques. La durée des écoutes énergétiques dépend du temps alloué à l'ensemble du massage. Calcule deux ou trois minutes par écoute.

71

1. Écoute couronne-sacrum

Elle est très utilisée pour commencer le massage et entrer en contact avec la personne qui le reçoit. Positionne-toi debout à gauche de la personne qui est couchée sur le ventre. Ta main gauche est posée sur la couronne, ta main droite sur le sacrum.

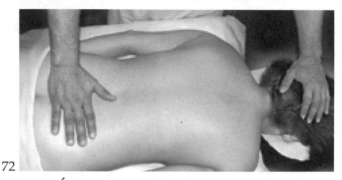

72

2. Écoute des mains

Le sujet massé est couché sur le dos. Cette écoute se fait à sa gauche, juste avant de le couvrir. Tu places la main gauche du massé sur son plexus solaire ou son nombril. La main droite du donneur se place sur cette main. Puis la main droite du massé recouvre la main droite du donneur. Enfin, la main gauche du donneur recouvre la main droite du

massé. Retire tes mains et laisse ses mains l'une sur l'autre. Cette écoute aide à faire communier l'énergie du donneur et du receveur.

73

3. Écoute de la couronne

Le sujet massé est couché sur le ventre. Positionne-toi, assis ou debout, à la tête de la personne. Les mains, côte à côte, sont posées à plat sur la couronne du massé. Cette écoute aide à calmer l'énergie du receveur.

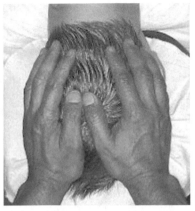

74

4. Écoute crânienne

Le sujet massé est couché sur le dos. Assieds-toi à la tête de la personne. Les mains du donneur, réunies, soutiennent la tête. Cette écoute très puissante donne de l'énergie à la personne massée.

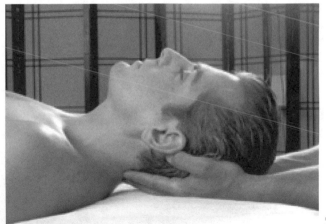

75

5. Écoute frontale

Le sujet massé est couché sur le dos. Assieds-toi à la tête de la personne. Les doigts des deux mains à plat sont déposés ensemble et enveloppent le front et la tête du massé. Cette écoute très puissante donne de l'énergie à la personne massée.

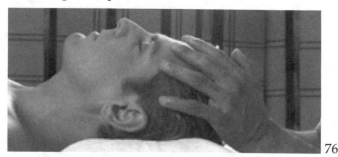

76

6. Écoute finale (plexus solaire-3e œil)

Se fait à droite de la personne massée, déjà couverte et couchée sur le dos. La main gauche est placée sur le front du sujet massé ou à la couronne. La main droite peut être placée sur les mains réunies du massé (voir Écoute des mains, page 80) ou sur son plexus solaire. Profite de cette position pour faire un petit balancement avec ta main droite. Cette écoute conclut le massage musico-sensoriel. Elle sert à quitter le contact avec la personne massée.

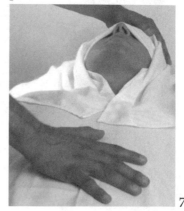

77

Une fois toutes les explications données et les préparatifs en place, Ange se dirige vers la table de massage où Moi est allongé et, sur le deuxième mouvement de la sonate pour violon et piano N° 5 opus 24 de Beethoven, il commence le massage qui dure quinze minutes d'éternité. Une fois le massage terminé, Ange couvre Moi d'un drap blanc.

Ange laisse Moi se reposer pendant quelques minutes. Ange se retire. Revenant dans la chambre, il enlève ensuite le drap. Moi commence à s'éveiller, et Ange lui offre une tisane. Moi s'assoit au bord de la table et dit à Ange :

- C'est merveilleux ! Je me sens tellement bien. C'est comme si tu avais fait un miracle.

- Non, ce n'est pas un miracle. Ce que tu éprouves maintenant est le simple résultat de la force du contact humain. L'être humain appelle « miracle » tout phénomène qu'il ne comprend pas. Lorsque vous êtes calmes, en paix, vous êtes mieux disposés à affronter les hauts et les bas de l'existence.

- Pourquoi dis-tu que c'est un contact humain, si tu n'es pas un humain ?

- Pour pouvoir entrer en contact avec toi, il faut que je devienne humain, autrement tu ne pourrais pas me voir, ni me comprendre. Autrefois nous étions très présents dans l'humanité, mais vous avez fait de nous un mythe.

- Alors comment puis-je faire la même chose que toi et aider les gens qui souffrent ?

- C'est simple. C'est une technique qui demande à être pratiquée. J'insiste beaucoup sur la pratique de chaque mouvement. Une fois le mouvement appris par cœur, la musique, qui est à sa source, se fera entendre à l'intérieur de toi. Veux-tu faire des exercices pour pratiquer le toucher, fort ou doux, sans faire de mal ?

    - Définitivement.

Ange ouvre à nouveau son livre aux pages lumineuses sur lesquelles on pouvait lire :

Exercice du canot.

Pour se familiariser avec la peau, vous pouvez allez en canot, de préférence sur un lac con tenant des algues, et vous laisser aller en les touchant. Vous remarquerez alors que vous pouvez toucher doucement et fermement sans rien déranger, ni rien écraser.

Vous pouvez aussi vous approcher d'une plante. Prenez une branche dans vos mains et, en serrant ses feuilles, tirez-la vers vous, sans lui faire du mal. Ou encore, prenez la fleur d'un vinaigrier, serrez-la entre vos mains, en faisant des pressions douces et fortes.

Ce sont des exercices qui vous enseignent la délicatesse du toucher, l'importance de chaque partie et la capacité que vous avez de toucher sans faire de mal. De cette façon, vous pouvez apprivoiser presque tous les mouvements.

Exercice de la pâte :

Pour pratiquer le pétrissage, prenez de la pâte à modeler et faites comme si vous pétrissiez du pain.

Exercice de table :

Allez sur une table de massage, et imaginez que sur celle-ci se trouve un corps humain. Visualisez tout le corps en imaginant la tête, le dos, les bras, les fesses, les jambes et les pieds. Commencez à pratiquer les mouvements avec les yeux fermés, en suivant un rythme musical choisi à l'avance. Profitez de l'occasion pour apprendre et pratiquer différents rythmes, sur différents corps. Quand vous aurez l'occasion, pratiquez sur un corps réel.

- Combien de temps requiert un massage MS ? Et par quelle partie du corps commencer ?

- La durée d'un massage de relaxation MS varie selon les circonstances. Sur une pièce musicale d'environ 15 minutes, tu peux harmoniser les quatre cordes, en quelques mouvements seulement. Peu importe le temps dont tu disposes; divise toujours le temps en trois tranches : ***apprivoisement du terrain, exécution des mouvements et relaxation.*** Plus tu as de temps, plus tu peux prolonger les mouvements. Tu peux commencer le massage par n'importe quelle partie du corps. Néanmoins, il importe d'abord et avant tout de te centrer avec le sujet massé, par l'imposition des mains (voir Écoute couronne-sacrum, page 80). Continue ensuite avec la technique d'effleurage qui permet d'enquêter sur la personne que tu vas masser, mais qui permet également de l'apprivoiser, de la mettre en confiance. Tu dois aussi t'assurer de masser plusieurs fois chaque octave, ***en y revenant de temps à autre,*** afin d'harmoniser tout le corps devenu, par tes mains, un instrument de musique.

- Et maintenant, si tu me résumais toutes les étapes d'un massage de relaxation musico-sensoriel global. (Voir page suivante.)

J'ai préparé ce tableau à ton intention. Un MRMS se fait dans cet ordre :

PRÉPARATIFS (voir chapitre 4)

La personne massée couchée sur le ventre
  Écoute couronne-sacrum
  Analyse du terrain (effleurage)
  Application de l'huile
  Exécution des mouvements
  Enlèvement de l'huile
  Écoute de la couronne

La personne massée couchée sur le dos
  Massage du visage (si possible) et du cou
  Écoute des mains
  Enveloppement du corps
  Écoute frontale
  Écoute crânienne
  Couvrir la tête
  Écoute finale
  Dégagement des énergies et remerciements

NOTE 1

Toutes les octaves sont indépendantes, mais on peut considérer bras/main comme une octave, ainsi que jambe/pied.

NOTE 2

Les mouvements 3.4, 6.1, 10.3 (comme dans l'illustration 56) sont les seuls mouvements où l'on place vraiment les mains sur la colonne vertébrale.

NOTE 3

Quand une personne ne peut pas recevoir de massage physique, les techniques énergétiques peuvent être utilisées pour donner de l'énergie.

NOTE 4

Positions :

En **L**, voir l'illustration 28, page 57.

En bracelet, voir l'illustration 35, page 60.

En demi-anneau, voir l'illustration 25, page 55.

Doigts repliés, voir l'illustration 53, page 67.

Doigts en **V**, voir l'illustration 34, page 60.

NOTE 5

Apprend à t'étirer comme les chats et les chiens, ils le font plusieurs fois par jour, ça t'aide à renouveler l'énergie. Fais-le en harmonie avec la respiration.

NOTE 6

Rappelle-toi que dans le MMS tous les mouvements s'enchaînent les uns aux autres, guidés par la musique ; et que tu dois t'assurer de masser plusieurs fois chaque octave, en y revenant de temps à autres.

NOTE 7

La personne qui reçoit le massage doit vouloir se détendre, car un MMS dans un corps qui retient sa tension est très difficile à faire.

NOTE 8

Rappelle-toi que l'intensité de la pression dépend de l'état de santé et du désir de la personne qui reçoit le massage.

Chapitre 6

Le legs de l'ange

- J'aimerais savoir pourquoi tu m'as choisi pour me montrer ce massage.

- Parce que je sais que tu aimes beaucoup le contact, que tu sais toucher et que tu cherches à acquérir de l'expérience. De toutes façons, il y a nombre de choses que je veux t'apprendre sur la vie, car tu es un être très sensible et réceptif. Ceci n'est que le commencement. Pour faire ce massage, tu dois être détaché de l'énergie sexuelle, car tu ne serais pas capable de supporter sa force, sans d'abord l'avoir apprivoisée. L'énergie sexuelle est forte, et il n'est pas bon de la réprimer : mieux vaut la maîtriser. Maintenant, je sais que tu es prêt.

- Mais comment puis-je apprendre tous ces mouvements-là ?

- Il n'est pas nécessaire de tout savoir dès le début; avec quelques mouvements de base, tu peux commencer à faire du bien, à transmettre cette énergie très puissante du toucher.

- Je te remercie beaucoup de m'avoir appris ce que sont le toucher et le massage musico-sensoriel. Mais comment vais-je faire pour me rappeler tout ce que tu m'as dit et tout ce que tu m'as fait ?

- Tu es déjà initié et, en supplément, je te laisse mon grand livre de lumière qui parle du massage. Il résume tout ce dont on a parlé aujourd'hui et que tu dois pratiquer et maîtriser le plus possible pour le bien de l'humanité. Je t'ai enseigné ce type de massage pour que tu fasses *la guerre au stress.*

- C'est magnifique ! Ça veut dire que je peux l'utiliser pour guérir le monde et le sauver de la mort ?

- Fais attention mon ami. Tu ne peux pas guérir

une personne si elle-même ne le veut pas. Du reste, l'énergie négative qu'une personne malade porte intérieurement empêche bien souvent sa guérison. Si tu veux obtenir des résultats, tu dois commencer par la soulager. Tu n'es qu'un instrument qui soulage. Tu ne peux non plus empêcher la mort. Chacun a son heure pour quitter ce monde. Tu ne peux que soulager la souffrance, telle est ta mission.

- Est-ce que tu vas rester avec moi ?

- Non, je dois maintenant partir. Mais ne sois pas triste quand je quitterai ce monde. Tu pourrais appeler cela ma mort, mais j'ai accompli ma mission, je suis fier de moi. À toi d'accomplir la tienne.

- Penses-tu que les gens vont me comprendre ?

- Ne t'inquiète pas pour ça. Tu sèmes la graine et la suite nous appartient.

- Mais c'est qui, nous ?

- La compréhension viendra peu à peu. Ça ne sert à rien de tout t'expliquer si tu n'es pas préparé. Chaque chose en son temps.

- Je te promets que je vais bien apprendre. Et je vais utiliser ce massage pour soulager les autres. Pourquoi attendre la catastrophe si nous avons le remède en mains ?

- Tu es libre. Tu peux faire ce que tu veux de cette connaissance. Abstiens-toi de me faire des promesses et entre dans l'action. Éloigne-toi de ceux qui promettent mer et monde et n'accomplissent rien. Sois humble, tu n'es qu'un instrument. Je te laisse dans la musique et les mouvements. Apprends et donne, donne et partage, partage avec les autres.

Ange le touche de sa lumière et s'éloigne. Il disparaît

petit à petit, laissant Moi dans un état de bien-être total.

Moi ouvre le livre de lumière et commence à l'étudier.

Pendant des années, il le met en pratique sur les gens autour de lui, ou en s'imaginant une personne couchée sur la table. Il se souvient de tout ce que Ange lui a dit.

Les années passent, Moi commence à vieillir. Il réfléchit et se dit en lui-même :

En travaillant toutes ces années avec le massage et la musique, j'ai observé la faculté qu'a la musique de faire relaxer lorsque combinée au toucher. La variété des rythmes et des sons et notre capacité à nous y adapter sont incroyables !

Envelopper et toucher un être humain avec une musique adaptée à son vécu et à ses sentiments constituent pour moi une voie essentielle à explorer.

Avoir la capacité de s'abandonner pour un instant aux sensations sublimes de la musique et du toucher est, selon moi, un atout permettant d'atteindre au bien-être. À chacun de trouver sa musique. Je veux apporter aux gens un sentiment de réconfort, je veux qu'ils redécouvrent leur corps avec sa capacité de ressentir et d'exprimer des émotions.

L'accueil, lors de ce massage, doit être très agréable, décontracté dès le premier contact. C'est le premier pas. Quand la personne est couchée sur la table de massage, elle doit avoir déjà surmonté toute méfiance.

Quand le masseur dépose pour la première fois ses mains sur le sujet massé, ce doit être un toucher ferme et sûr. Un toucher hésitant peut causer du stress.

Les prérequis primordiaux pour faire un MRMS sont la confiance et le respect mutuels entre les deux personnes présentes. L'énergie est aussi un élément essentiel : l'énergie qui circule dans la pièce où a lieu le massage, l'énergie qui circule dans la personne qui reçoit ce massage et dans celle qui le donne. De plus, le masseur doit être dans de bonnes dispositions, car s'il n'est pas préparé ou mal disposé il ne peut réussir un bon massage. Le rôle du masseur est d'aider à augmenter le bien-être chez les autres en les aidant à toucher leur propre espace intérieur de calme et de paix.

À l'heure actuelle, il est scientifiquement difficile de savoir exactement d'où vient l'énergie qui donne la force et la vie à tout ce que nous connaissons. Cette incertitude face à l'inconnu nous conduit à remettre toutes ces questions entre les mains des philosophes, des religions et de la science, qui y répondent selon leurs croyances et leurs convictions ; cela donne lieu à beaucoup d'interprétations. En laquelle aurez-vous confiance ? À chacun de choisir, à chacun sa vérité. Comme j'ai promis de mettre ma connaissance au service de l'humanité, je vais faire ma part en montrant aux autres ce qui m'a été enseigné. Je commencerai par écrire un petit livre de massage résumant les mouvements de base du MRMS, afin de les rendre accessibles et faciles à comprendre.

Et c'est ainsi que Moi décide de rédiger un petit livre qui résume toutes les techniques de base de ce massage, un livre qui s'intitule : « Dialogue avec l'Ange du toucher ».

Et un jour, l'histoire recommence.

Autre, plein de tristesse, est seul dans son coin, dans le même état de fatigue et de détresse que Moi, au début de l'histoire. Moi s'approche de Autre et lui demande :

- Pourquoi pleures-tu ?

- Je suis triste, fatigué, j'ai mal au dos, mal au cou, mal partout. Je ne sais plus quoi faire.

- Pourquoi souffrir ainsi, *répond Moi.* Je vais te montrer comment soulager ta détresse. Je vais te faire un massage. Tu vas l'éprouver toi-même et, par la suite, tu pourras le pratiquer et ainsi, en faire profiter les autres. Je te donnerai ensuite un résumé de base de tout ce que j'ai appris sur le toucher au cours de ma vie. Je souhaite qu'à chaque fois que tu auras la chance de toucher quelqu'un, tu le fasses avec art. *L'art est l'expression de la joie, de la souffrance et de la tristesse humaines.* Ces sentiments, nous devons les laisser sortir pour qu'ils se manifestent. Le massage aussi est un art. **Si tu masses dans la joie, tu vas rendre les gens heureux.**

-Alors qu'est-ce que je dois faire ? Par où commencer, demande Autre à Moi.

Moi sourit. Il se rappelle sa rencontre avec Ange. Il

commence à expliquer à Autre tout ce qu'il a appris dans son premier livre de massage, légué par Ange. Il offre à Autre le livre qu'il a lui-même écrit. Sur la couverture, Autre peut lire : «Dialogue avec l'Ange du toucher».

Moi demande à Autre s'il veut vraiment recevoir un massage. Autre manifeste son accord.

Alors, comme Ange l'avait fait pour lui, Moi demande à Autre de se coucher sur la table, puis commence à le masser avec la musique, lui apportant réconfort et l'initiant au massage musico-sensoriel.

Avant de le quitter, Moi commence à donner ses derniers conseils à Autre. Il lui fallait maintenant partir pour continuer son chemin, comme Ange l'avait fait autrefois. Sa mission est accomplie. Autre est soulagé de ses tensions. Il se lève plein d'énergie, remercie Moi d'avoir partagé sa connaissance avec lui, lui promettant d'apprendre cette technique merveilleuse pour soulager les autres. Moi s'éloigne, laissant Autre dans une grande paix.

Une fois seul, Autre prend le livre et se met à le lire passionnément, se promettant de le mettre très vite en pratique.

Le temps passe. Autre apprend et pratique le massage. Il a si bien appris et apprécié ce massage qu'il se dit en lui-même : « *Si j'arrive à conduire quelqu'un à masser comme j'aime masser, je partirai tranquille moi aussi* »

Et ainsi se répète l'histoire...

FIN

BIBLIOGRAPHIE

Boigey, Maurice. *Manuel de massage.* 5e ed. Paris : Masson, 1977.

Brown, Ruth; Brown, Bertel. *Le corps humain.* Paris : Hachette Jeunesse, 1984.

Coquet, Michel. *Les chakras. L'anatomie occulte de l'homme.* Paris : Deruy-livres, 1983.

Czechorowski, Henry. *Le guide pratique des massages.* Paris : Éditions Seghers, 1976.

Elaine N. Marieb. *Anatomie et physiologie humaines.* 2e édition. Éditions du Renouveau pédagogique inc., 1999.

Atlas d'anatomie. Traduit par Edouard Chard Hutchinson. Editions Gamma, 2001.

Steve Parker. *Le corps.* Traduit de l'anglais par Sylvie Trévoux et Maria-Luisa Ruiz. Éditions du Seuil, 1994.

Dowing, George. *Le massage euphorique.* New York, Hachette, 1973. Traduit par l'Américaine Alice Fauconnet.

Barbara, Ann Brennan. *Manos que curan.* Éditions Martinez Roca, S"A"

Morand, Gilles. *Massage et polarité.* Paris : Éditions de Montagne, 1989.

Revue Science & Vie. *Édition spéciale du corps humain,* 2001.

Rolando Benenzon. *Manuel de musicothérapie.* Éditions Privat.

Professeur Genius. *Mon album du corps humain.*

Wataru Ohashi. *Le livre du Shiatsu.* Éditeur L'Étincelle, Montréal Paris, 1991.

Les rédacteurs des Éditions Time-life. *Le don de Guérir.* Collection Le mystères de l'inconnu. Éditions Time-life, Amsterdam,1990.

Alan Young. *La Guérison spirituelle, la comprendre, la pratiquer.* Éditions Québec/Amérique, 1990.

Larousse, *Dictionnaire de la langue française.* Édition mise à jour, 2003.

AUTRES SOURCES PERSONNELLES

Notes de cours de massage suédois. Montréal : Polyvalente Pierrre-Dupuy, 1990.

Cahiers cliniques du Centre de réadaptation Lucie Bruneau. Revue « *Le Réadaptologue* » (automne 1987) Vol. 1, no. 3.

Différentes techniques énergétiques apprises à l'École « *Le Corps éveillé* » dirigé par Gaston Véronneau (1990), Montréal.

MON EXPÉRIENCE PERSONNELLE.

Ce livre est un résumé de tout ce que j'ai lu dans ma vie au sujet du massage, de la musique, du comportement humain. Il est enrichi par mes observations dans la pratique du massage avec mes amis, mes clients, et par l'écoute de la voix intérieure qui me guide.

LECTURES SUGGERÉES

Guérison par le Chi kung taoïste. Par Mantak Chia. Éditeur Guy Trédaniel, 2002.

Les 5 saisons de l'énergie, La médecine chinoise au quotidien, par Isabelle Landing, Éditions Désiria, 1998.

QI Gong, la médecine des souffles, par Dr. Martin Migaud, Editoriel Edi-inter.

Manuel de massage. Par M. Boigey. Cinquième édition. Traduit de l'anglais par Paul Couturiau. Éditeur Masson. Décembre 1988.

Le massage total, équilibre entre le corps et l'esprit. Par Richard Jackson. Éditions du Rocher.

Le massage. Par Lucy Lidell, avec Sara Thomas. Traduit de l'anglais par Yvonne Baudry et Claude Beauvillard. Éditeur Miren Lopategui. Édition Robert Laffont S.A., 2000.

L'harmonie des énergies, guide de la pratique taoïste. Par Michel Odoul. Éditions Dervy, Paris,1993.

Les massages relaxants. Par Marie-France Eliot. Éditions France-Amerique, 1979.

TABLE DES MATIÈRES